Un ange
dans la nuit

Une histoire écrite par Christian de Montella
illustrée par Alice Charbin

Pour Pierre-Alexandre

BAYARD POCHE

Présentation des personnages

Sylvain

le père de Marie

Marie

1
L'ange est en panne

Le père de Marie éclate de rire.

– Mais… c'est quoi, ce déguisement ?

Ce soir-là, veille de Noël, Marie entre dans le salon. Elle est vêtue d'une longue robe bleu ciel, parsemée d'étoiles découpées dans du papier aluminium. Elle porte de vastes ailes faites de carton et de coton hydrophile. Une autre étoile, beaucoup plus grande, scintille au bout du bâton qu'elle tient à la main.

La mère de Marie écarte les bras :

– Magnifique ! s'exclame-t-elle. Tu es ma-gni-fique ! N'écoute pas ton père.

Il ne rit plus. Il sent qu'il a commis une gaffe. Marie tape du pied :

– Alors ? On y va ?

Il écarquille les yeux, surpris :

– Où ça ?

– Tu lui as promis, lui dit sa femme en le regardant d'un air accusateur.

– Promis quoi ?

– Tu sais bien : d'emmener Marie à la fête de l'école. Pourquoi crois-tu qu'elle s'est déguisée comme ça ? Il y a un spectacle, une crèche, ce soir !

– Ah oui, c'est vrai ! s'écrie-t-il. Le spectacle !

Il se lève précipitamment du fauteuil. Il a l'air penaud. Il effleure la joue de Marie au passage :

– J'ai eu trop de travail, ces derniers temps. Excuse-moi, j'ai complètement oublié.

Et il file dans l'entrée enfiler une parka et des bottes.

– Dépêche-toi ! crie-t-il.

Mais Marie boude. Elle lui en veut d'avoir oublié une chose aussi importante que la crèche de l'école et qu'elle y joue le chef des anges. Elle se tourne vers sa mère :

– Tu n'as qu'à m'accompagner, toi.

– Marie, tu sais bien que je rêvais de te voir en scène. Mais tu sais bien aussi qu'on attend tout le monde pour le réveillon, Papi, Mamie, tes oncles, tes tantes, tes cousins… S'ils avaient pu arriver plus tôt, on serait tous allés te voir. Mais la route est longue, ils ne seront pas là avant dix heures et je dois tout préparer, mettre la table, surveiller la dinde.

Marie baisse les yeux, serre les lèvres. Sa mère lui touche l'épaule :

– Tu me pardonnes ? La prochaine fois, on s'organisera mieux. Va rejoindre papa, vous allez être en retard.

Sans accorder un regard à son père, Marie va prendre sa parka au porte-manteau du vestibule. Elle la plie sur son bras.

– Habille-toi, lui dit-il. Tu as vu le froid qu'il fait ?

– J'abîmerais mes ailes, réplique-t-elle en haussant à la fois les épaules et ses ailes.

– Alors, mets au moins ton bonnet.

Elle enfile son bonnet rouge. Jusqu'aux oreilles.

– Voilà. Tu es content ?

Il se rend bien compte qu'elle lui en veut beaucoup. Il n'insiste pas.

Ils sortent de la maison. Il fait un froid de canard, un froid du pôle Nord. La neige tombe depuis deux jours sur la

campagne. Une heure plus tôt, en rentrant de la quincaillerie qu'il tient au village, le père de Marie a pelleté les congères qui s'étaient formées sur les allées du jardin. C'est comme s'il n'avait rien fait : déjà, une couche de plusieurs centimètres s'est reformée.

Ils courent jusqu'à la voiture. Heureusement, il l'a garée sur la route.

– Bon, dit-il à Marie. C'est à quelle heure, ton spectacle ?

– La *crèche* est à neuf heures.

– Oui, la crèche, pardon…

Marie parle sans desserrer les dents. C'est une fille qui a du caractère. Elle ne pardonne pas si facilement. Il jette un coup d'œil à sa montre.

– Parfait. Nous avons trois quarts d'heure devant nous. Tu verras que nous arriverons les premiers.

Il met la clé de contact dans le démarreur, il la tourne. Le moteur rugit.

– C'est parti ! s'écrie-t-il.

Mais le moteur toussote, hoquète, crachote. Et s'arrête.

– Pas de problème. Un petit coup de froid.

Papa tourne à nouveau la clé. Le moteur gémit longuement. Puis plus rien.

– On est en panne, grogne Marie.

– Euh… Écoute, voilà ce qu'on va faire : je fonce chercher ta mère, on va pousser la voiture, elle finira bien par démarrer.

– Je vais être en retard !

Marie est furieuse. Elle fusille son père du regard. Elle ouvre la boîte à gants. Elle y prend une lampe de poche et sort dans la neige qui tombe de plus en plus dru.

– Attends ! Marie !

Le temps qu'il ouvre aussi sa portière et sorte à son tour, elle est déjà partie. Elle marche d'un pas volontaire sur la route, tenant sa parka sur son bras et l'étoile de la Nativité devant elle. Elle suit la faible lumière de sa lampe de poche.

– Marie ! Marie, enfin !

Elle ne se retourne pas.

– Mets ta parka ! J'arrive ! Ma-rie !

Bientôt, sa frêle silhouette d'ange disparaît dans la nuit et la neige.

2
L'ange disparaît

Un instant, le père de Marie se demande ce qu'il faut faire. Il se dit que sa fille, cette tête de mule, ne risque rien, après tout, sinon de prendre froid. Elle connaît la route par cœur, elle la suivrait les yeux fermés.

Il court à la maison. Il explique rapidement ce qui s'est passé à sa femme qui prépare la table du réveillon.

– Tu l'as laissée partir ? Toute seule ? s'indigne-t-elle.

– On va la rattraper. Ne t'inquiète pas.

Vite, elle enfile bottes et doudoune. Elle le suit dehors au pas de course.

– Et si la voiture ne redémarre pas ? lui demande-t-elle.

– Elle redémarrera. Sinon, il faudra aller demander sa voiture à Monsieur Gérard .

Marie et ses parents habitent à deux kilomètres du village. Monsieur Gérard est leur seul voisin, à cinq cents mètres.

– Jacques… Enfin… C'est impossible…

– Oh, excuse-moi, répond-il. Je n'y pensais plus…

Leur voisin, Monsieur Gérard, a perdu sa femme le mois dernier. Elle a eu un très grave accident de voiture. Les parents de Marie sont allés à l'enterrement. Il y avait tout le village. C'était une cérémonie très triste. Monsieur Gérard tenait par la main son fils de huit ans, Sylvain. Ils pleuraient en silence.

– Aide-moi à faire démarrer la voiture.

La mère de Marie se met au volant. Son mari pousse. Par chance, après le premier virage, la route descend en pente, ce qui l'aide à pousser plus vite et plus fort. Au bout d'un moment, le moteur se met en marche.

Vite, il prend la place de sa femme au volant, met son pied sur l'accélérateur et en route ! Dans le rétroviseur, il regarde sa femme s'éloigner sous la neige.

Il pense rattraper Marie assez rapidement. Mais il ne la trouve pas. Il roule, il roule, et pas de Marie, pas de petit ange aux ailes de carton et au bonnet rouge trottant sur le bas-côté.

Il commence à imaginer le pire : on l'a enlevée ! Mais, à cette heure-ci et par ce temps, qui peut être assez fou pour mettre le nez dehors ? Personne. À part une fille entêtée et son père qui la cherche.

Il arrive au village, qui semble en hibernation. Tout est sombre, tout est terriblement calme sous la neige.

Il est maintenant très inquiet. Les vitres du foyer de l'école brillent de toutes leurs lumières. Des voitures sont rangées, nombreuses, aux environs.

« Ce sont les voitures, se dit-il, des parents responsables, ceux qui ne laissent pas partir leur fille à pied dans la nuit et la neige, ceux qui n'ont pas oublié que leur enfant participe à un spectacle de Noël. Pardon : à une crèche. »

Il sort de la voiture. Il court jusqu'à l'école. La plupart des parents sont déjà installés sur les chaises. L'institutrice, Madame Maroubi, s'approche de lui.

– Où est Marie ? lui demande-t-elle.

– Elle n'est pas arrivée ?

– Non. Elle n'est pas avec vous ?

Sans prendre le temps de répondre, il retourne dans la rue. Il scrute la nuit. Il remonte la rue à grands pas. Les flocons de neige lui tombent dans les yeux. Et lui aussi se demande avec angoisse : « Où est Marie ? »

3

L'ange fait un signe

« De bon matin,
J'ai rencontré le train
De trois grands rois
qui partaient en voya-a-ge… »

Marie chante. Marie chante parce qu'elle a froid et qu'elle ne veut pas risquer d'abîmer ses ailes en mettant sa parka. Peut-être qu'en chantant très fort une chanson gaie, ça la réchauffera ?

Elle marche aussi vite qu'elle peut. Elle a quitté la route départementale. Elle a pris le raccourci à travers champs, qui passe devant la forêt et coupe droit jusqu'au village. Heureusement, le sentier a été déblayé en fin d'après-midi. Ses bottes s'enfoncent dans la neige, mais pas trop.

Sa lampe de poche éclaire à peine un ou deux mètres devant elle. De gros flocons gris voltigent dans sa lumière.

De temps en temps, Marie entend un craquement tout près d'elle. La première fois, elle a sursauté. Maintenant, elle fait comme si elle n'entendait rien. Elle accélère le pas. Elle chante de plus belle. Si ça ne la réchauffe pas, au moins ça la rassure.

Enfin, elle aperçoit des lumières derrière les arbres. Déjà le village ? Elle se met à courir, ce qui n'est pas facile dans la neige et avec de grandes ailes sur le dos. Elle arrive devant une grande cour de ferme. C'est la maison du voisin, Monsieur Gérard.

Il y a deux fenêtres allumées au rez-de-chaussée et une autre ⌒ à l'étage.

Marie est souvent venue ici jouer avec Sylvain, le fils des Gérard. Elle connaît bien la maison. Les deux fenêtres en bas, c'est la cuisine. Celle d'en haut, c'est la chambre de Sylvain.

Marie a très froid. Si elle allait sonner chez eux, elle pourrait se réchauffer. Et peut-être que Monsieur Gérard, qui est très serviable, la conduirait en voiture à la crèche ?

Et tout à coup elle se rappelle ce qui est arrivé à la mère de Sylvain. En voiture, justement. La maîtresse en a parlé en classe. Elle avait les larmes aux yeux. Depuis, Sylvain n'est plus revenu à l'école. Il n'a pas participé aux répétitions de la crèche, où il devait jouer le rôle d'un berger.

Elle hésite un instant. Finalement, elle n'ose pas aller sonner. Elle aimerait bien revoir Sylvain, mais elle a peur de le voir pleurer. Elle retraverse la cour pour retrouver le sentier du raccourci.

– Hé ! Hééé !

Quelqu'un a crié. Quelqu'un l'a appelée. Marie se retourne. Elle regarde la maison. La neige tombe tant que Marie la distingue à peine.

– Hé ! Hééé !

Marie lève la tête. Là-haut, à sa fenêtre, Sylvain l'appelle. Il agite le bras.

Elle se dit qu'il l'a reconnue, et, tout à coup, elle se sent pleine de tendresse pour lui. Pendant un instant, elle a envie d'aller sonner à sa porte et de l'emmener avec elle pour qu'il participe au spectacle, qu'il retrouve tout le monde, tous ses copains de l'école. Peut-être qu'il oublierait un petit peu son chagrin ?

Alors, elle aussi, elle agite la main, celle qui tient la grande étoile brillante de la Nativité et la lampe de poche. Et plus elle lui fait de signes, plus il lui répond. Il y a beaucoup de neige et il fait noir, mais elle est sûre de le voir sourire.

Elle a envie de lui crier : « Viens ! Viens avec moi ! On va aller ensemble à la crèche ! » Mais elle se rappelle qu'elle a entendu sa mère dire, quelques jours

plus tôt, que Monsieur Gérard, le père de Sylvain, était si triste qu'il ne voulait plus voir personne. Elle avait ajouté : « Il s'est enfermé chez lui avec son fils comme un ours dans sa tanière. » Monsieur Gérard est grand et fort. Marie l'imagine très bien en ours. Elle n'a pas le courage d'aller sonner chez lui.

Pourtant, elle est heureuse. Elle a vu Sylvain, et Sylvain a un grand sourire. Il semble flotter parmi la nuit, le ciel et la neige, là-haut, dans l'encadrement de sa fenêtre éclairée.

Marie frissonne. Elle est trempée. Il fait si froid. Et puis le temps passe. Même par le raccourci, il reste au moins deux kilomètres jusqu'au village. Elle ne veut pas être en retard à la crèche de

l'école. En s'éloignant, elle se promet qu'elle rendra visite à Sylvain. Ils joue-ront à nouveau ensemble. Il guérira de son chagrin.

Elle accélère le pas. Bientôt, elle ne sent plus le froid. Elle a l'impression de survoler le sentier, comme si ses ailes d'ange la portaient. Ou comme si l'étoile qu'elle tient dans la main la guidait depuis qu'elle a laissé son père près de sa

voiture en panne. Oui, se dit-elle, peut-être que c'est l'étoile qui m'a conduite jusqu'à la maison de Sylvain ? Peut-être que ce sont mes ailes qui m'y ont portée ? Parce que, cette nuit, veille de Noël, il fallait que quelqu'un vienne voir Sylvain, et vienne le faire sourire.

4

L'ange a un trou de mémoire

Le père de Marie sursaute. On cogne à la vitre de sa portière au moment où il va redémarrer pour partir à la recherche de sa fille. Il tourne la tête. Enfin !

Dans la lumière jaune des réverbères, il reconnaît des ailes, une robe bleu ciel étoilée et un bonnet rouge. Marie !

Elle est là, elle tremble de froid. Il lui

frictionne les joues, les bras, en répétant :
– Espèce de folle… Espèce de folle… Tu m'as fait une de ces peurs !
– J'ai pris le raccourci qui passe devant chez Sylvain. Vite ! On va être en retard !

Elle prend son père par la main et ils détalent à travers la cour de l'école. La neige leur entre dans les yeux, dans la bouche.

Ils dérapent sur le sol gelé. Marie éclate de rire parce que son père a failli se casser la figure.

Dès qu'ils arrivent, l'institutrice, Madame Maroubi, se précipite :

– Dépêchez-vous ! s'écrie-t-elle.

Dégoulinant de neige fondue, Marie rejoint les coulisses. Madame Maroubi a trouvé une serviette. Elle lui frotte vigoureusement la tête.

– Comment t'es-tu mise dans un état pareil ? Regarde tes ailes ! Tu ne peux pas entrer en scène comme ça !

En effet, ses ailes ont mal supporté toute cette neige. Le carton s'est ramolli et gondolé.

Marie est un chef des anges qui n'a pas l'air très en forme.

Mais Marie est aussi un chef des anges qui ne se décourage pas pour si peu. Elle n'a pas fait tant de chemin à pied pour à présent renoncer à la crèche.

– Tant pis ! dit-elle. Je ne suis pas venue jusqu'ici pour rien !

Et, avant que Madame Maroubi ait pu réagir, elle entre en scène.

Le spectacle a déjà commencé. Tous les acteurs sont réunis autour du berceau où dort un gros poupon rose. Les autres anges écarquillent les yeux quand ils voient arriver une Marie à la robe trempée et aux ailes tordues. Il y a même des parents qui se mettent à rire dans la salle.

Elle entend aussitôt la voix grondeuse de son père :

– Chut ! Taisez-vous, voyons !

Sophie, sa meilleure copine, qui joue
l'un des anges, lui donne un coup de
coude et lui chuchote :

– Hé… C'est à toi…

– Ah, oui !

Marie ouvre la bouche. Et…
panique ! Elle ne se rappelle plus aucun

des mots qu'elle doit prononcer. Depuis une semaine, pourtant, elle connaît son texte par cœur.

– Je… Je…, bredouille-t-elle.

En coulisses, Madame Maroubi fronce les sourcils et lui fait de grands gestes d'encouragement. Marie ferme les yeux.

Elle cherche, cherche dans sa mémoire, mais elle n'y trouve plus un mot de son texte. Comme si, dans sa tête, c'était

tout noir. Tout noir ? Non, pas tout à fait. Elle y distingue tout à coup une lumière. La lumière d'une fenêtre à l'étage d'une grande maison triste. Et, dans cette lumière, il y a Sylvain qui l'appelle et lui sourit.

Marie reprend son souffle. Et, puisqu'elle ne se rappelle plus son texte, elle se met à l'inventer :

– Je suis l'archange Gabriel, chef des anges.

Elle se penche vers le poupon rose couché :

– Bonjour, toi.

Nouveaux rires du public. Le père de Marie fait : « Chut ! » Elle enchaîne :

– J'ai fait un très long voyage pour venir te voir. Euh… j'ai volé à travers le désert… J'ai volé au-dessus des montagnes et des villes… J'ai volé dans la pluie… euh… dans la tempête… et même dans la neige ! D'ailleurs, tu vois, je suis toute trempée et j'ai drôlement froid…

On rit à nouveau dans le public. Mais, cette fois-ci, ce ne sont pas des rires moqueurs. Marie se mord les lèvres, regarde tous ces adultes assis dans la salle et voit son père qui, moulinant des mains, lui fait signe de continuer. Elle regarde à nouveau le poupon rose : au moins, lui, il ne rit pas, il ne bouge pas. Il sourit, c'est tout. Elle serre les poings, respire à fond et reprend :

– Bon. C'est la nuit de Noël. Et si on fête Noël, c'est parce que tu es né pour sauver les gens. Je ne sais pas ce que ça veut dire, « sauver les gens », mais si j'étais à ta place ça voudrait dire « les rendre plus heureux ». Bon. C'est beaucoup de travail. Et j'espère que tu n'oublieras personne. Voilà. Parce que… je connais un garçon, il s'appelle Sylvain et… et… et moi, je pense à lui, et tout le monde pense à lui, et ça serait bien que tu penses à lui aussi. Et à son père.

Marie se mordille les lèvres, puis, gênée, hausse les épaules :

– Bon. Voilà. C'est tout.

Elle se retourne vers le public et ajoute :

– Excusez-moi. J'avais oublié mon texte… Alors, j'ai… j'ai inventé…

Il y a un grand silence dans la salle. La père de Marie est le premier à taper dans ses mains. Puis tous les parents se mettent à applaudir, eux aussi.

Marie rougit.

5
L'ange apporte un cadeau

À la fin du spectacle, Joseph, la Vierge, les bergers, les anges, l'âne et le bœuf saluent le public. Marie, saluant, éternue sept fois. Son père se dit qu'il faudra appeler le docteur Glück, demain à la première heure.

Ensuite, l'association des parents d'élèves a organisé un arbre de Noël. On boit du jus d'orange et on mange des parts de bûche vanille-chocolat. Chacun a un petit cadeau à son nom sous le sapin. Marie prend le sien et demande à son père :

– Papa ? Est-ce que je peux emporter celui de Sylvain ?

– Madame Maroubi le lui donnera à la rentrée, en janvier.

– En janvier, ce sera trop tard. Papa, je veux le lui donner avant. S'il te plaît.

Il est embarrassé. Il finit tout de même par céder :

– Fais comme tu veux.

Vers dix heures, la fête se termine. Tout le monde retourne à sa voiture.

Marie porte deux paquets enrubannés. Sur le chemin du retour, elle montre le raccourci à son père.

– Tu as coupé à travers champs ? lui demande-t-il. Avec ce temps ?

– Je ne faisais pas confiance à ta voiture.

– Tu es vraiment une folle…

– Et puis, je ne voulais pas rater la crèche.

Il lui jette un coup d'œil.

– Marie… Tu avais préparé ce que tu as dit tout à l'heure sur la scène ?

– Non. J'avais oublié mon texte, c'est vrai !

Elle a envie de lui raconter qu'elle a vu Sylvain à sa fenêtre. Que c'est lui qui lui a inspiré les mots qu'elle a dits. Mais il lâche une main du volant et lui ébouriffe le cheveux :

– Sacrée vieille folle. C'était bien inventé.

Elle n'ose pas lui expliquer que ce n'était pas inventé. Il ne comprendrait pas.

Ils approchent du chemin qui mène à la maison de Monsieur Gérard.

– Sylvain, je l'aime bien, dit-elle.

Il ne répond pas. Il ne saurait pas quoi dire. Depuis l'enterrement de Madame Gérard, il a toujours évité d'en parler devant sa fille. Il pense qu'il vaut mieux faire comme si rien n'était arrivé.

– Ils sont tout seuls, son père et lui, insiste Marie. C'est demain, Noël. On pourrait passer les voir.

Le père de Marie n'en a aucune envie. Il ne s'en sent pas le courage.

– On passera les voir une autre fois. La semaine prochaine, par exemple.

– Papa…

– Je suis fatigué, ma puce. Tu n'es pas fatiguée, toi ?

Il lui jette un autre coup d'œil. Elle est là, à sa droite, assise au bord du siège pour ne pas écraser ses ailes sur le dossier. Elle tient les deux cadeaux sur ses genoux. Il pense : « Elle les tient comme des bombes prêtes à exploser. »

La neige ne tombe plus. Il arrête les essuie-glace.

– Papa… Allons-y. Il faut y aller.

Marie regarde droit devant elle le paysage blanc tranché par les phares dans le noir de la nuit.

– C'est Noël, quand même !

– Bon.

Il braque le volant. La voiture remonte lentement l'allée qui mène à la ferme. Il freine, coupe le moteur.

– Tu es vraiment sûre ?

Elle hausse les épaules, ses épaules parées d'ailes d'ange, et elle répond :

– Maintenant qu'on y est, on ne va pas repartir.

Il comprend qu'il est inutile de discuter. Simplement, avant de sortir de la voiture, il demande à Marie d'enlever ses ailes de carton.

– Mets ton manteau. Et ferme-le bien. D'accord ?

Elle lui obéit sans protester. Elle a joué son rôle d'ange. Elle pense qu'à présent c'est fini.

Quand ils approchent du perron, elle donne la main à son père. Il hésite une seconde. Elle est trop grande maintenant pour lui prendre la main. Si elle le fait, c'est qu'elle attend quelque chose de lui, quelque chose de difficile. Et, en effet, sonner à la porte de Monsieur Gérard lui paraît une chose très difficile. Il tend l'index vers la sonnette.

Marie s'impatiente.

– Allez ! Alors il appuie sur le bouton de la sonnette.

6

Un ange est passé

Monsieur Gérard ouvre la porte.

– Bonsoir, dit le père de Marie.

Monsieur Gérard le regarde des pieds à la tête comme s'il ne l'avait jamais vu.

– Qu'est-ce que vous voulez ?

C'est un homme de grande taille, aux épaules larges, aux grosses mains de paysan. Ses yeux se baissent vers Marie.

– Ah… Tu es là, toi aussi ?
   Elle n'a jamais vu un homme si triste.

Son père a très envie de s'excuser et de partir, mais Marie lui serre fort la main.

Il se force à parler :

– Monsieur Gérard, nous ne voulons pas vous déranger. Nous venions vous souhaiter... Enfin… Comme c'est Noël et que nous sommes voisins, nous voulions savoir comment vous alliez…

M.Gérard hoche la tête, lourdement :

– C'est gentil à vous.

– Monsieur, intervient Marie, je voudrais voir Sylvain. C'est possible?

L'homme la dévisage. Il hésite. Il finit par répondre :

– Je ne peux pas t'en empêcher.

Il s'écarte lourdement de la porte qu'il ouvre toute grande :

– Allez, bon… Entrez.

Il les conduit jusqu'au salon. Dans un coin de la pièce, trois paquets au papier vert, rouge et doré sont déposés au pied d'un petit sapin décoré.

– C'est la mère de Sylvain qui les avait choisis, dit Monsieur Gérard. Mais il ne veut pas descendre les ouvrir.

– Où est-il ? demande Marie. Dans sa chambre ?

– Il s'y est enfermé.

Marie montre le paquet qu'elle a apporté.

– C'est de la part de l'école. Je peux monter le lui donner ?

– Tu sais, il ne voudra pas te voir.

– Monsieur… Si vous me laissiez essayer ?

Il l'examine quelques secondes. Puis il soupire :

– Après
tout…
On ne sait
jamais…
Vas-y.
– Merci !
Aussitôt,
Marie court vers le couloir et
monte quatre à quatre l'escalier qui mène
à l'étage. Arrivée devant la porte de la
chambre de Sylvain, essoufflée, elle frappe.
– Fiche-moi la paix, papa ! Je ne veux
pas descendre ! crie, à l'intérieur, la voix
de Sylvain.
– C'est moi ! Marie !
Il y a un silence. Sylvain demande :
– C'est vrai ? C'est toi ? Tu es toute seule ?
– Oui. Je suis venue te voir.

Peu après, Sylvain entrouvre sa porte.
Il la regarde d'un air méfiant.

– Qu'est-ce que tu veux ?

Sa réaction étonne Marie. Plus tôt dans la soirée, quand il lui a fait des signes de sa fenêtre, elle était sûre qu'il lui souriait, qu'il était tout heureux de la voir. Et maintenant, voilà qu'il lui fait la tête, comme si elle le dérangeait. Elle meurt d'envie de lui raconter le spectacle, la crèche. Elle voudrait qu'il sache qu'il a été là, devant le public. Qu'elle a parlé de lui. Que tout le monde pensait à lui. Mais ce ne sont pas des choses qu'on raconte. Peut-être qu'il le prendrait mal ? Elle sait qu'elle l'aurait mal pris, si elle avait eu un chagrin, un vrai chagrin, un chagrin immense, et que toute l'école en avait parlé.

Elle lui tend le paquet.

– Tiens. C'est de la part de tout le monde à l'école.

Il la repousse de la main :

– Pourquoi on m'a fait un cadeau ? Parce que ma mère est morte ? J'en veux pas, de ce cadeau.

Marie caresse le ruban doré du paquet.

– Oh, mais tu sais, il y avait des cadeaux pour tout le monde. Même pour moi.

– Ah, bon.

– Mais, si tu n'en veux pas, hein…

– Donne-le-moi.

Il lui prend le paquet et la laisse entrer dans sa chambre.

– Tu n'ouvres pas ton cadeau ? demande-t-elle.

Il tourne le paquet dans ses mains, l'air sombre. Marie voudrait lui dire quelque chose qui le console, mais c'est très difficile. Elle commence à regretter d'être venue.

– Marie, dit-il tout à coup.

– Oui ?

– Est-ce que tu crois aux anges ?

Surprise par sa question, elle reste sans répondre.

– Parce que, poursuit-il en la regardant droit dans les yeux, quand Maman est morte, mon père m'a raconté qu'elle était partie avec les anges. Tu parles !

Je ne l'ai pas cru. C'est des histoires pour les petits, ça. Enfin… c'est ce que je croyais.

Sylvain lève la tête. Il regarde Marie dans les yeux, intensément.

– Dis-moi si, toi, tu crois aux anges.

– Oui… Un peu…

– Juste un peu ?

Elle comprend qu'il attend une réponse définitive.

– Oui, affirme-t-elle. J'y crois.

Pour la première fois, Sylvain sourit. Il lui désigne la fenêtre.

– Tu vois, ce soir, j'étais là, derrière les carreaux. Je pensais à Maman. Et, d'un seul coup, j'ai aperçu une toute petite lumière qui s'approchait de la maison. Ça m'a intrigué. J'ai ouvert la fenêtre. Il

neigeait beaucoup, on y voyait très mal.
Mais il y avait bien une petite lumière,
une petite lumière qui s'approchait de
plus en plus. Et devine qui portait cette
lumière ?

Marie s'apprête à s'écrier : « c'était
moi ! C'est pour ça que j'ai obligé mon

père à m'emmener chez toi ! Tu avais l'air tellement heureux ! » Mais, elle ne sait pas pourquoi - la voix de Sylvain est très intense -, elle se retient.

– Je l'ai vu, dit-il. Il était bleu pâle, il scintillait.

– Qui ça ?

– Un ange ! Un vrai ange ! Je suis resté là

à le regarder, je n'étais pas sûr de ce que je voyais, il faisait noir, il neigeait énormément. Quand il a commencé à s'éloigner, je l'ai appelé. Il s'est arrêté. Je lui ai fait des signes avec la main. Et il m'a répondu ! Il a levé la petite lumière, et je me suis rendu compte que c'était une étoile !

Marie baisse les yeux. Elle réfléchit. Elle se demande si elle doit dire la vérité à Sylvain. Que c'est elle qu'il a vue, avec sa lampe de poche et son étoile en papier alu. Qu'il n'y a pas eu d'ange.

– Tu me prends pour un fou, hein, Marie ?

– Non, non. Je suis sûre que tu as vu ce que tu as vu.

– C'est vrai ? Tu me crois ?

– Oui.

Il s'approche d'elle. Il lui prend la main.

– Tu vois, moi ce que je pense, c'est que cet ange est venu de la part de Maman. Pour me faire un signe. Pour me montrer qu'elle est bien avec les anges, comme me l'a dit mon père. Qu'est-ce que tu en penses ?

Elle hésite. Qu'est-ce qui vaut mieux ? La vérité toute bête ? Ou cette erreur qui console Sylvain ?

D'ailleurs, est-ce une erreur ? Elle, elle a vu Sylvain sourire, elle a vu ce sourire malgré la nuit et la neige. Est-ce que c'était une erreur, ça ? Et est-ce que c'était une erreur quand, lui, il a vu ses ailes, l'étoile et la lumière, et qu'il l'a prise pour un ange ? Est-ce que c'est une erreur de croire à ce qu'on a envie de croire ? Est-ce qu'elle, Marie, se trompe quand elle croit que Sylvain a raison de se tromper ? Alors, que peut-elle lui répondre, sinon :

– Je pense que tu as raison.

Elle l'embrasse sur la joue.

– Joyeux Noël, Sylvain.

Elle lui prend la main :

– Si on descendait ? Ton père a mis des cadeaux sous le sapin. Et je crois que j'ai envie de savoir ce qu'il y a dedans. Pas toi ?

Plus tard, le père de Marie gare la voiture devant chez eux, il demande à sa fille :

– Fais-moi plaisir. Remets tes ailes.

– D'accord.

Ils sortent de la voiture. Il l'aide à replacer les ailes sur son dos.

– Et maintenant, à la maison !

Elle court, devant lui, dans l'allée blanche de neige. Et il se demande pourquoi, trois heures plus tôt, son déguisement de coton hydrophile et de carton d'emballage l'a fait rire aux éclats.

FIN

Achevé d'imprimer en France
par l'imprimerie Hérissey
à Évreux (Eure)
N° d'éditeur : 6992
N° d'imprimeur : 90785

© Bayard Éditions Jeunesse, 2001
3, rue Bayard, 75008 Paris
ISBN : 2 7470 0075-3
Dépôt légal : novembre 2001
Loi 49-956 du 16 juillet 1949 sur les publications destinées à la jeunesse
Reproduction, même partielle, interdite.